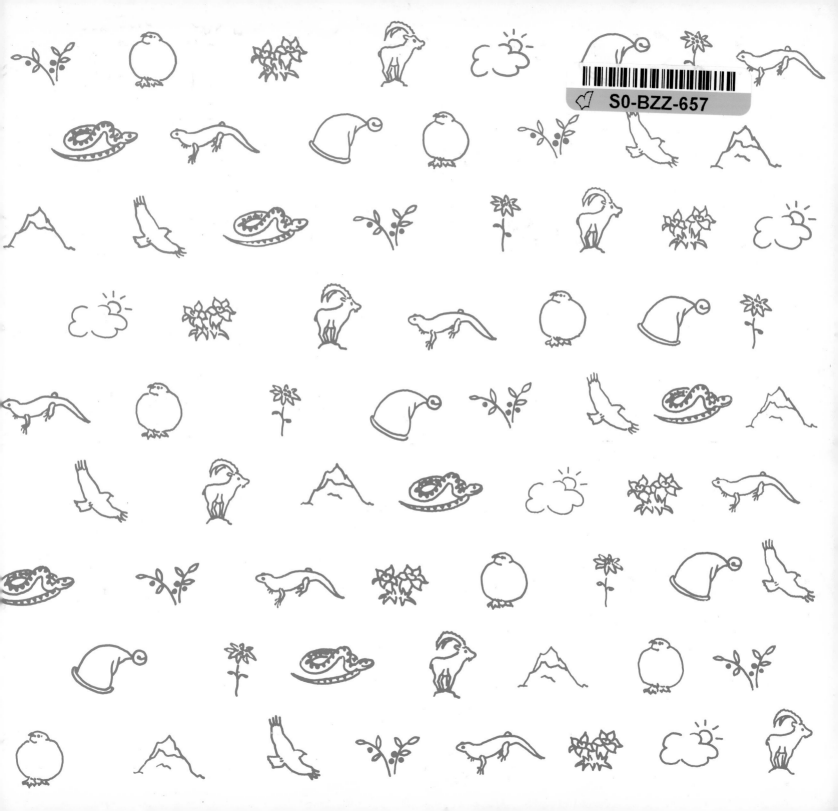

Glöbeli bei den Murmeltieren
gezeichnet von Brigitte Conte
erzählt von Walter Roth

World Copyright © 1994 by
Globi-Publishing Co., 8045 Zürich, Binzstrasse 15

ISBN 3 85703 162 X

Umweltfreundlich gedruckt und verpackt

1994
Druck: Proost N.V. Turnhout, Belgien
Fotolithos: Lithos! Michael Waldvogel, CH-8820 Wädenswil

«Oh, der schöne Schmetterling!»
Glöbeli klettert immer höher
und schaut nicht mehr auf den Weg.

«Hui – wer pfeift denn da so laut?»
Vor Schreck purzelt
Glöbeli über einen Stein.

Wer bist du?»
fragen die Murmeli.
«Du hast aber einen
lustigen Schnabel.

«Der Adler, der Adler!»
Wie der Blitz verschwinden die Murmeli in ihren Höhlen.
Das kleinste bleibt sitzen, ganz starr vor Schreck.

Der Adler sutzt:
«Was ist denn das für ein Ungeheuer?
Wo ist das Murmeli?»

«Gottseidank –
der Adler ist weg!»
Glöbeli umarmt es ganz fest.
Das Murmeli
zittert immer noch.

Mmmmh –
zum Dank haben ihm die
Murmeli ihr schönstes
Heidelbeer-Plätzchen verraten.

Die Murmeli sammeln
weiches Heu für den Winterschlaf.
«Wie fein das duftet!» Glöbeli hilft gern.

«Hallo, wer liegt denn da?»
Glöbeli möchte das Tier
mit dem schönen Muster
am liebsten streicheln.

«Glöbeli – nein!»
rufen die Murmeli.
«Die Kreuzotter hat Giftzähne.
Wenn du sie erschreckst,
beisst sie dich.»

Glöbeli will unbedingt die blaue Glockenblume.
Ob er da wohl wieder hinunterkommt?

«Und jetzt?» Glöbeli kribbeln die Beine vor Angst.
«Was machst du denn da?» fragt das Gemsböcklein.

Gerettet! Glöbeli ist so froh.
Er spürt das schöne warme Fell.

«Danke, liebes Gemslein.
So gut wie du kann ich nicht klettern.
Magst du die blaue Glockenblume?

«Platsch!» Ein dicker Tropfen fällt
auf Glöbelis Schnabel.
Ein Gewitter kommt.
Alle Tiere suchen Schutz.

Draussen blitzt und donnert es gewaltig.
Glöbeli hat es warm und gemütlich.

«Tschau, Glöbeli. Komm bald wieder.
Der Vogel weiss den Weg!»

«Hier stecke ich schon den Kopf in mein nächstes Buch.
Kommt ihr mit?
Wenn ihr nicht so lange warten könnt:
Mein erstes Buch heisst ‹Glöbeli im Wald› und
das zweite ‹Glöbeli an der Chilbi›.»

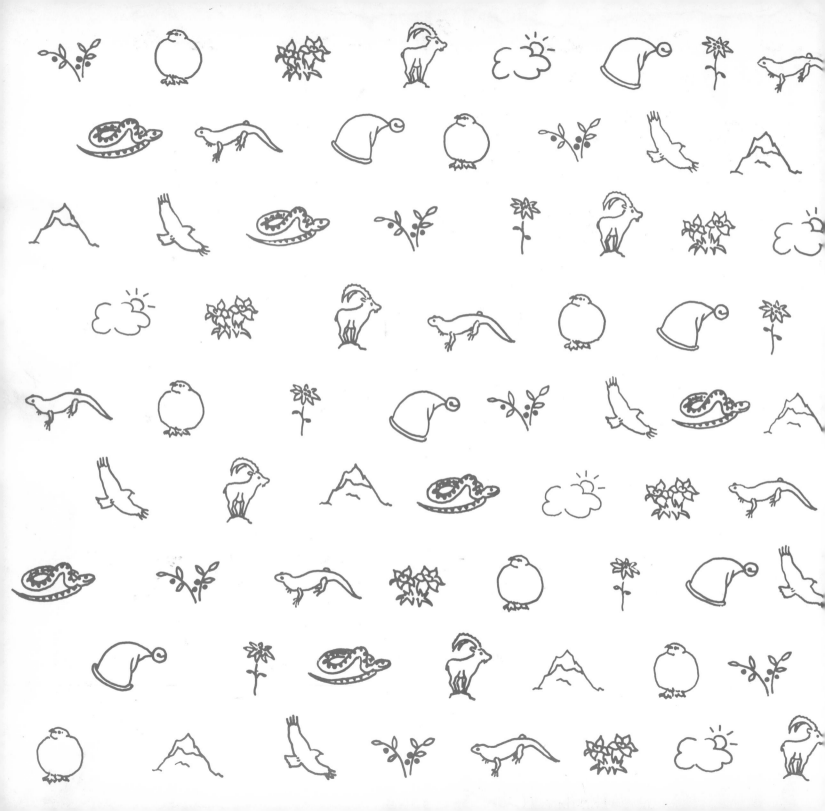